FOLIO CADET

Pour Ophélia et Lucy

Traduit de l'anglais
par Anne Krief

Maquette : Karine Benoit

ISBN : 978-2-07-510419-7
Titre original : *Revolting Rhymes*
Édition originale publiée par Jonathan Cape Ltd., Londres, 1982

N° d'édition : 333658
Loi n° 49-956 du 16 juillet 1949 sur les publications destinées à la jeunesse
Premier dépôt légal : février 1995
Dépôt légal : mai 2018
Imprimé en Espagne par Novoprint (Barcelone)

ROALD DAHL

UN CONTE PEUT EN CACHER UN AUTRE

Illustré par **Quentin Blake**

GALLIMARD JEUNESSE

Vous vous - you
Il y a - there is
pour faire - to do

Cendrillon

Vous croyez, j'en suis sûr, connaître
cette histoire.
Vous vous trompez : la vraie est bien
plus noire,
Ou rouge sang, si vous voulez.
La fausse, celle que vous connaissez,
Fut concoctée il y a des années
Afin que tout y soit mollasson, niaisouillard,
Pour faire plaisir aux enfants, le soir.
Au début, d'accord, c'était
pas mal parti,
Ça s'est bien passé ainsi :
au milieu de la nuit,
Les méchantes sœurs
s'en vont toutes
pomponnées,
Au bal du palais danser,
Enfermant la pauvre petite
Cendrillon tout en bas,

Dans la cave humide, où les rats,
Affamés, cherchant de quoi manger,
Commencent à lui grignoter les pieds.
« À l'aide ! Laissez-moi sortir ! » hurle-t-elle.
La bonne fée entend Cendrillon
qui l'appelle.
Dans un halo de lumière, elle surgit :
« Qu'est-ce qui se passe, ma chérie ? »
« Tu ne vois donc pas ce qui se passe ?
Marraine, je suis dans la mélasse ! »
De rage, frappant le mur à coups
de poing,
« Envoie-moi au bal ! crie-t-elle à la fée.
J'y tiens !
Il y a au palais une surprise-partie,
Et je moisis ici, folle de jalousie !
Je veux une belle robe !
Un carrosse rutilant,
Et des boucles d'oreilles,
une broche en diamant,
Et deux pantoufles, deux, couleur argent,
Et aussi un collant en nylon, ravissant !

Ainsi vêtue, j'en suis sûre,
dès qu'il me verra,
Le beau prince tombera amoureux
de moi ! »
« Ne t'en fais pas, répond la fée,
j'ai une pratique
Fantastique de ma baguette magique. »
Aussitôt dit, aussitôt fait :
Cendrillon se retrouve au bal du palais.
Les méchantes sœurs grimacent
et se pincent
En la voyant valser avec le prince.
Elle le tient serré, se pressant
À l'étouffer contre son torse puissant.
Le prince lui-même est réduit en bouillie,
Il suffoque, il a le hoquet, il est tout aplati.
Mais quand minuit sonne,
la belle s'exclame : « Zut !
Je dois sauver ma peau sans perdre
une minute ! »
Le prince proteste : « Oh, non ! Déjà ? »
Il soupire…

Il s'agrippe à sa robe ; il veut la retenir.
Quand Cendrillon s'écrie :
« Laissez-moi donc partir ! »
De bas en haut, la robe se déchire.
En sous-vêtements elle descend l'escalier
si vite
Qu'elle perd une pantoufle dans sa fuite.
Le prince se jette dessus dare-dare,
La serre contre son cœur battant,
puis déclare :
« Celle au pied de qui cette pantoufle ira,
Demain matin ma fiancée sera !
Je fouillerai toutes les maisons de la ville,
Sans répit, pour retrouver cette jeune
fille ! »
Ayant ainsi parlé, plein de désinvolture,
Sur un tonneau de bière,
il pose la chaussure.

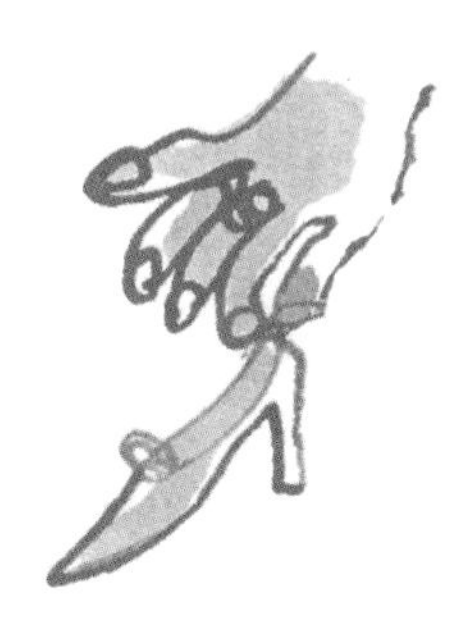

Aussitôt, l'une des méchantes sœurs
(Celle dont les boutons vous donnaient
mal au cœur)
Surgit et saisit la pantoufle délicate,
La jette dans les toilettes et tire la chasse
en hâte.
Puis à la place elle dépose tranquillement
Son propre soulier gauche, évidemment !
Ah ! Vous voyez, le complot est bien
organisé
Et la chance de Cendrillon est en train
de tourner.
Le lendemain, le prince fonce en ville
Et frappe aux portes de tous
les domiciles.
Dans chaque foyer, c'est l'anxiété.
À qui appartient ce soulier ?
Il est long, il est large, il bâille énormément.

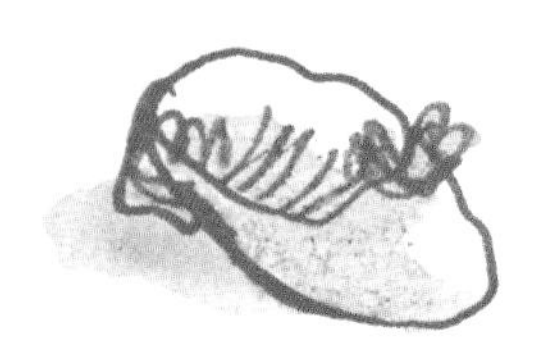

(Un pied normal s'y perdrait totalement.)
De plus, il pue un peu le fromage,
la sueur.
(Ils sont chauds et poisseux,
les pieds de la vilaine sœur.)
Elles accourent par milliers pour essayer
la chaussure
Mais c'est en vain : il n'y a personne
à sa pointure.
Le tour arrive enfin des deux méchantes
sœurs.
La plus laide l'essaie. Le prince hurle
d'horreur,
La fille braille : « Youpi ! Elle me va !
Ça y est !
Maintenant, tu dois m'épouser ! »
Jusqu'aux oreilles on voit le prince pâlir.
Il bredouille : « Lâchez-moi, je dois partir ! »
« Pas question ! Tu dois tenir ton serment !
Tu ne peux plus te défiler à présent ! »
À quoi il rétorque : « Qu'on lui coupe
la tête ! »

Et d'un seul coup d'épée,
on la lui tranche net.
Le prince, ravi, sourit et dit :
« Sans sa tête, elle est plus jolie. »
Sur ce arrive la sœur numéro deux :
« C'est à moi d'essayer la chaussure,
je la veux ! »
« Essaie plutôt ça ! » réplique le prince
du tac au tac.
Il tire sa fidèle épée, et *tchac !*
Une autre tête tombe dans un flot de sang,
Rebondit sur le sol et roule un instant.
Depuis la cuisine, épluchant des patates,
Cendrillon entend le bruit mat
Des têtes qui tombent puis roulent de-là,
de-ci.
Passant la sienne par la porte, elle dit :
« Quel est donc ce charivari ? »
« Mêle-toi de tes oignons ! »
répond le malappris.
Le cœur de la pauvrette alors se brise
en miettes.

« Mon prince, songe-t-elle, est un coupeur
de têtes !
Comment pourrais-je un jour épouser
Un homme qui coupe des têtes
pour s'amuser ! »
Le prince glapit : « Qui est cette souillon
si moche ?
Qu'on lui coupe la tête ! Qu'on lui coupe
la caboche ! »
Soudain, dans une nuée d'étincelles,
La fée surgit à tire-d'aile
Et fait tourbillonner sa baguette magique.
« Cendrillon ! s'écrie-t-elle,
fais un vœu mirifique !
Demande ce que tu voudras et crois-moi,
Pour le réaliser il ne tiendra qu'à moi. »
Cendrillon répond : « Marraine,
bonne fée,
Cette fois je ne me ferai pas piéger.
Je ne veux plus de prince,
je ne veux pas d'argent,
De ces douceurs-là j'ai eu mon content.

J'aimerais épouser quelqu'un de bien.
Tu peux me trouver ça, à la fin ? »
Un instant plus tard, Cendrillon
Épousait un gars très mignon,
Fabricant de confitures d'oranges
et de citrons,
Vendeur de marmelade faite à la maison.
La leur est remplie de rires et de jeux ;
Ils vivent depuis lors tranquilles
et heureux.

Jacques et le Haricot Magique

La mère de Jacques déclara :
« On est dans la mélasse !
Allez, va nous chercher un gars
plein aux as
Et vends-lui notre vache. Dis qu'elle est
en pleine forme
Et qu'elle vaut bien une somme énorme,
Mais surtout fais en sorte d'éviter
qu'il comprenne
Qu'elle était déjà vieille avant
Mathusalem. »
Jacques emmena donc la vache Prune
Et, lorsqu'il s'en revint vers le soir,
à la brune,
Il dit : « Devine un peu, petite maman
chérie,
Quelle superbe affaire ton fils a réussie.

Je ne sais pas trop comment j'ai fait
Mais j'en ai obtenu un magot coquet. »
La mère lui répond :
« Espèce de petit voyou,
Je parie que tu l'as fourguée
pour quatre sous ! »
Quand Jacques sort de sa poche
un haricot riquiqui,
Sa mère change de couleur,
elle est abasourdie,
Elle fait un bond et tempête :
« Je suis vraiment stupéfaite !
Espèce de crétin ! As-tu eu le culot
De vendre notre vache pour un maigre
fayot ? »
Elle attrape la graine et s'écriant « Nigaud ! »
Jette sur le fumier le triste haricot.
Puis, rassemblant toute son énergie,
Elle rosse le gamin une bonne heure
et demie.
Et, ce qui était d'une méchanceté
à faire peur,

C'est qu'elle utilisa
un manche d'aspirateur !
Mais vers dix heures du soir,
à peu de chose près,
Le petit haricot entreprend
de germer.
Au matin, il a tellement poussé
Qu'on n'en voit même plus
le sommet.
Petit Jacques alors s'écrie :
« Il faut que tu l'admettes,
Ce haricot vaut plus
que notre vieille bête ! »
La mère lui répond :
« Espèce de zozo !
Sur cette tige, je ne vois pas
un seul haricot !
Cette chose qui grimpe est nue
comme un ver ! »
« Non, non ! proteste Jacques,
regarde en l'air,
Regarde vers le ciel et tu verras

Des feuilles en or de qualité extra. »
Saperlipopette, il a raison, le gamin.
Brillant de tous ses feux dans le matin,
Le haricot de Jacques a mille feuilles d'or !
Et la mère à son tour découvre le trésor.
Elle s'exclame : « Par la fée Carabosse,
On vend la deux-chevaux,
on s'achète une Rolls.
Ne reste pas là bouche bée, espèce de ballot,
Grimpe vite là-haut et rafle le magot ! »
Jacques est agile, bon en gymnastique ;
La tige, pour grimper, c'est vraiment
très pratique !
Notre ami jusqu'en haut s'est hissé
d'une traite,
Et il était déjà presque arrivé au faîte
Quand une chose horrible se produisit :
Au-dessus de sa tête il entendit
Une énorme voix, semblable au tonnerre,
Qui fait trembler le ciel, la terre et la mer.
La grosse voix gronde : « Grum Grum
Miam Miam Hé ! Hé ! Hé !

Ça sent la chair fraîche d'un
p'tit garçon à croquer ! »
Jacques est terrorisé mais
Jacques est rapide.
Il redescend à toute vitesse,
un vrai bolide.
« Maman ! sanglote-t-il, il faut me croire,
Il y a une chose horrible là-haut,
tu vas voir !
Moi je l'ai vue, ça m'a glacé les sangs.
C'est un géant doté d'un nez ultra-
puissant ! »
« Un nez ultra-puissant ? répète la mère.
Ben voyons !
Tu ne tournes pas rond, mon fiston ! »
« Il m'a flairé, je te le jure, maman.
Il a dit : "Ça sent le petit garçon, je le sens !" »
« Pas étonnant, répond la mère
au désespoir.
Je t'ai dit et répété tous les soirs
De prendre un bain car tu sens très mauvais.
Mais, bon sang, m'as-tu seulement écoutée ?

Ta propre mère est dégoûtée
Rien qu'à l'odeur de ta saleté ! »
Jacques rétorque :
« Puisque tu es si propre que ça
Vas-y, toi, grimpe donc à ce haricot-là ! »
« Chiche ! lance la mère.
Je vais te montrer tout de go
Que cette vieille carcasse a de bons biscotos ! »
Puis, jusqu'aux genoux ses jupes retroussant,
Elle grimpe et disparaît en un rien de temps.
Le géant va-t-il sentir la maman ?
Jacques guette l'inquiétant grondement.
Les yeux rivés sur la cime, il se demande
Comment va réagir la créature gourmande.
Et brusquement, de là-haut il entend
Cric, crac, croc, un abominable craquement.
Le géant marmonne par deux fois :
« Pristi, quel goût exquis ! Toutefois,
Toutefois (d'un ton vraiment féroce),

Il y a quand même beaucoup d'os ! »
« Fichtre ! s'écrie Jacques. Quelle calamité !
De maman, le géant n'a fait qu'une
bouchée.
Il l'a reniflée et toute crue avalée.
Je me doutais bien qu'elle sentait
très mauvais. »
Jacques avec envie contemple encore
et encore
L'arbre gigantesque aux belles feuilles d'or.
« Flûte de flûte ! murmure-t-il tout bas,
Je ferais bien de me laver pour une fois,
Si je veux à cet arbre grimper
Sans être par le géant reniflé.
En vérité, un bain est la seule solution ! »
Il rentre à la maison, saisit le savon,
S'en frotte tout le corps à gestes vigoureux.
Il se frictionne même et se rince les cheveux,
Il se brosse les dents et se mouche le nez,
Puis il sort enfin, fleurant bon la rose thé.
À nouveau, il grimpe en haut du haricot
si grand.

Le géant est là, immonde et répugnant,
Grommelant entre ses chicots pleins
de trous
(Tandis que Jacques inquiet attend
en dessous),
Grommelant très fort : « *Grom Grom Grom !*
Là tout de suite, je ne sens personne ! »
Quand enfin dans le sommeil le géant
sombra,
Jacques le long des branches se glissa.
Il ramassa tant d'or, des centaines
de feuilles,
Qu'il devint millionnaire en un clin d'œil.
« Un bain, dit-il, voilà
qui semble être payant !
Je vais en prendre un tous
les jours à présent. »

Quand la mère de Blanche-Neige mourut,
Le roi, son père, s'exclama d'un ton
  bourru :
« Ah ! Quelle vie ! Quel ennui, perdre
  sa femme !
Il me faudra trouver une autre dame. »
(Pour un roi il n'est jamais pratique
De se procurer ce genre d'article.)
Il fit paraître une annonce dans tous
  les journaux :
« Roi cherche reine », disait le texte
  en peu de mots.
Des jeunes filles lui répondirent
  par milliers,
Le suppliant de faire d'elles sa royale
  fiancée.
Le roi déclara d'un air sournois :

« J'aimerais bien les essayer toutes
une fois. »
Finalement il choisit en tout état de cause
Une certaine demoiselle Machin-Chose,
Car elle possédait un jouet étonnant
Qui semblait la ravir à tout moment :
C'était un miroir de cuivre encadré,
Un miroir magique qui savait parler.
Quand on l'interrogeait sur n'importe
quel sujet,
De jour ou de nuit, il répondait sans hésiter.
Par exemple, si vous lui demandiez :
« Miroir, qu'y a-t-il au déjeuner ? »,
Le miroir répliquait aussitôt :
« Aujourd'hui, œufs brouillés et risotto. »
La nouvelle reine, très bête et très vilaine,
Demandait au miroir, chaque jour
de la semaine :
« Miroir, miroir, dis-moi un peu
Qui est la plus belle à tes yeux ? »
Et c'était chaque fois la même ritournelle :
« Ô Madame la Reine, c'est vous la plus belle.

Vous êtes la seule à nous charmer,
Vous êtes belle comme un oiseau
népalais ! »
Pendant dix années, la stupide reine
Se livra à sa manie quotidienne.
Mais un beau jour qui ne l'était pas,
Le miroir magique brusquement déclara :
« Reine, le numéro deux, c'est vous.
Blanche-Neige est plus belle que vous ! »
La reine en furie encaissa mal le coup
Et brailla : « Je vais lui tordre le cou !
Son compte est bon ! Je vais la faire dépecer
Et me ferai servir ses tripes pour le dîner ! »

La reine convoqua le chasseur dans
son bureau
Et lui dit : « Écoute-moi bien, mon coco.
Tu vas emmener cette souillon en balade
Dans les bois pour une petite promenade.
Ouvre-lui les côtes, fouille dedans
Et rapporte-moi son cœur fumant ! »
La charmante enfant fut bientôt entraînée
Tout au fond, au fin fond de la forêt.
Craignant le pire, la pauvre Blanche-Neige
supplia :
« Laissez-moi une chance, ne me tuez pas ! »
La dague était levée, le bras était puissant.
Elle supplia encore : « Mon cœur est
innocent ! »
Alors se ramollit le cœur du chasseur,
Qui fondit comme une motte de beurre.
Il murmura : « C'est bon, petite, file ! Allez ! »
Et Blanche-Neige ne se le fit pas répéter.
Un peu plus tard dans la journée,
Le chasseur passa chez le boucher
Et lui acheta, pour sauver sa peau,

Un joli steak et un cœur de veau.
« Reine, Majesté ! annonça-t-il d'une voix forte,
Ça y est ! Cette petite saleté est morte !
Comme vous me l'aviez ordonné,
Voici son cœur dans ce paquet. »

La reine s'exclama : « Bravissimo ! Parbleu,
J'espère que tu l'as tuée à petit feu. »
Ensuite (et là, ça devient franchement dégoûtant)
La reine, à table, mangea le cœur à belles dents.
(J'espère seulement qu'elle l'avait bien fait cuire,
Le cœur bouilli est souvent dur comme cuir.)
Et pendant que tout cela se déroulait,

Où, mais où Blanche-Neige était-elle
donc passée ?
Elle a fait du stop pour se rendre en ville
(Quand on est mignonne,
c'est toujours facile)
Et s'est fait engager sans toucher de salaire
Comme cuisinière et bonne à tout faire
Chez sept curieux petits bonshommes
Pas plus hauts que trois pommes.
Anciens jockeys, amateurs de chevaux,
Ces sept nains fort sympas ont un vilain
défaut :
Ils vident leur bourse
En jouant aux courses.
Mais quand ils n'ont pas misé sur le bon
baudet
Eh bien, il n'y a rien du tout pour le dîner.
Un soir, Blanche-Neige leur dit : « Écoutez,
Je crois que j'ai une super idée.
En attendant, plus de paris !
Laissez-moi faire,
Compris ? Je vais tous nous tirer d'affaire. »

Alors ce soir-là, dès la nuit tombée,
Elle se rend, toujours en stop, au palais
Dans lequel, à la faveur de l'obscurité,
Elle se faufile sans se faire remarquer.
Le roi est dans son bureau,
Il compte l'argent des impôts.
La reine est dans son boudoir,
Elle mange du miel sur du pain noir ;
Les laquais et les domestiques
 sont endormis,

Et Blanche-Neige avance en catimini.
Elle traverse l'immense vestibule
 sur la pointe des pieds,
Et décroche du mur le miroir encadré.

À peine chez elle est-elle rentrée
Qu'elle invite le nain le plus âgé
À interroger sans hésiter le miroir.
« Vas-y ! Demande-lui un tuyau pour voir. »
« Oh miroir, dit le nain, pas de blague,
s'il te plaît !
Car, voilà, nous sommes tous ici
archi-fauchés !
Dis-moi quel cheval remportera la course
demain.
Qui, au Grand Prix d'Ascot, gagnera
haut la main ? »
Le miroir lui répond dans
un chuchotement :
« Boule de Gui, c'est le nom du gagnant. »
Alors les nains, ne se sentant plus de joie,
Embrassent Blanche-Neige devant,
derrière, en haut, en bas,
Puis vont chercher assez de galette
Pour miser gros sur la bonne bête.
Ils vendent leur vieux tacot,
mettent leurs montres au clou,

Empruntent à droite, à gauche,
  absolument partout
(À la banque Barclays et à son PDG
Qu'ils n'ont pas oublié de remercier).
Les voilà donc à Ascot et, évidemment,
Ils misent pour une fois sur le cheval
  gagnant.
À dater de ce jour et de cette heure,
Le miroir fait payer les bookmakers.
Depuis lors, Blanche-Neige
  et les sept nains,
Riches à millions, se partagent les gains.
Conclusion : Jouer ne rend pas fou
Pourvu qu'on gagne à tous les coups.

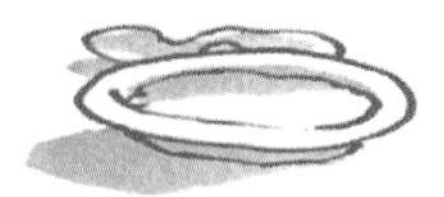

Boucle d'Or

Ce célèbre petit conte bête et méchant
N'aurait jamais dû, selon moi,
être lu aux enfants.
Il me semble mystérieux
Que des parents plutôt sérieux
N'aient pas vu que cette histoire croque
en réalité
Le portrait d'une petite canaille
très culottée.
Si je l'avais pu, j'aurais sans hésiter
Enfermé Boucle d'Or à perpétuité.
Imaginez donc quelle serait votre humeur
Si, ayant préparé un repas enchanteur,
Une bonne bouillie fumant
dans la soupière,
Un café noir brûlant dans la cafetière,
Avec des confitures, des tartines grillées,
Le tout sur une table superbement dressée,
Un couvert pour vous, un autre pour papa,

Et le troisième pour votre petit gars,
Si donc papa s'écriait :
  « Bon sang de sapristi !
Ouille, ouille, ouille ! Elle est trop chaude,
  la bouillie !
Allons un peu nous promener :
Elle refroidira et nous pourrons manger.
Un peu de marche de bon matin,
À la santé, ça fait grand bien.
Ça ouvre l'appétit, ça donne faim
Et ça stimule les intestins ! »
Quelle épouse digne de ce nom oserait
  contester
Qu'il s'agit là d'une idée très sensée ?
D'autant que les hommes au petit déjeuner
Sont rarement en forme ou bien lunés.
À peine avez-vous mis le nez dehors
Que ce petit crapaud de Boucle d'Or,
Ce vilain pou chapardeur,
S'introduit en votre absence dans votre
  demeure.
Et que découvre Boucle d'Or ?

Trois bols de bouillie pleins à ras bord.
Alors, restant debout sur ses deux pieds,
Elle saisit une cuillère et se met à manger.
Dans quel état seriez-vous,
je vous le demande un peu,
Si vous aviez préparé ce repas délicieux
Pour qu'un voyou, une gamine mal élevée,
surgisse
Et sans le moindre scrupule l'engloutisse ?
Mais attendez ! Vous n'avez rien vu
cependant !
Maintenant, ça va être tout à fait révoltant.
Vous êtes bonne épouse, une fée du logis,
Et avez déniché toute votre vie
De ravissants bibelots, à droite,
à gauche chinés,
D'exquis angelots, dorés et ailés,
Des meubles d'ébénistes fort chers,
Achetés à une célèbre vente aux enchères ;
Or, il y a parmi vos trésors
Celui qu'entre tous on adore,
Une ravissante petite chaise d'enfant

Style élisabéthain, de l'an seize cent.
Elle fait votre joie, vous en êtes fière,
Elle vous vient de votre grand-mère.
Mais Boucle d'Or, comme tous les toqués,
Ne connaît rien aux antiquités.
Elle s'en moque, n'en a rien à faire,
Et en posant son gros derrière
Sur cet objet fragile et délicat,
Crac ! Elle le fait voler en éclats.
Qu'aurait dit une gentille petite fille
  bien élevée ?
« Oh, mon Dieu ! Qu'ai-je donc fait ? »
Mais Boucle d'Or se fâche et l'injurie :
« Espèce de sale chaise pourrie ! »
Elle prononce un gros mot,
  un très gros mot, dans sa rage,
Que vous n'avez jamais entendu à votre âge.
(Je n'ose l'écrire, ni même y penser,
Et personne ne voudrait l'imprimer.)
Si vous croyez que cette horrible fillette
Va prendre la poudre d'escampette,
Eh, non ! J'ai le regret de vous avertir

Que d'autres bêtises sont encore à venir.
Décidant qu'un petit somme lui ferait
du bien,
Elle dit : « Voyons donc un peu quel lit
me convient ! »
Elle monte à l'étage et les essaie
tous les trois.
(Et c'est une nouvelle catastrophe que voilà !)
La plupart des gens bien élevés
Ôtent chaussettes et souliers
Pour se glisser dans les draps,
Tandis que Boucle d'Or n'en a que faire.
Ses chaussures sont sales, couvertes de boue,
De vase, de crotte et de gadoue.
Pire : sous son talon se trouve collé
Ce qu'un chien dans la rue vient de déposer.
Encore une fois, qu'auriez-vous donc pensé
Si ces immondices, puantes qui plus est,
Avaient été étalées sur votre couvre-lit
Par cette révoltante petite chipie ?
(La fameuse histoire ne précise pas,
c'est sûr,

Que la gamine enlève ses chaussures.)
Oh, qu'il y a de crimes dans ce conte !
Reprenons depuis le début
et faisons les comptes.
Premier crime, dossier de l'accusation :
Du domicile des plaignants, violation.
Deuxième crime, l'accusation poursuit :
Vol d'un bol de flocons d'avoine, bouillis.
Troisième crime : Bris de mobilier,
La précieuse chaise de bébé.
Dernier crime : A sali des draps immaculés
Avec les cochonneries qu'elle traînait
sous les pieds.
Un juge ordonnerait sans sourciller :
« Au bagne ! Pour dix ans
de travaux forcés ! »
Mais dans le livre,
vous le verrez,
La petite peste n'est
même pas inquiétée,
Acclamée par les enfants
de Tahiti à Tokyo

Aux cris de « Hip Hip Hip Hourra !
Youpi ! Bravo ! »
« Pauvre petite Boucle d'Or ! se sont-ils exclamés,
Heureusement, elle a réussi à s'échapper. »
Quant à moi, je crois bien que j'aurais préféré
Pour Boucle d'Or une fin nettement moins gaie.
« Papa ! Papa ! s'écrie Bébé Ours, le petit.
C'est pas juste, on m'a mangé ma bouillie ! »
« Monte dans ta chambre, lui répond son papa,
Regarde bien, ta bouillie est sous les draps.
Mais comme elle est dans le ventre de la demoiselle,
Il te faudra la manger avec elle ! »

Le Petit Chaperon Rouge

Quand le loup sentit des tiraillements
Et que de manger il était bien temps,
Il alla frapper à la porte de Mère-Grand
Et demanda « Puis-je entrer ? » gentiment.
Dès qu'elle eut ouvert, celle-ci reconnut
Le sourire narquois et les dents pointues.
La pauvre grand-mère avait peur.
« Il va, s'écria-t-elle, me dévorer
sur l'heure ! »

Et elle avait parfaitement raison :
Le loup affamé l'avala tout rond.
Mais la grand-mère était coriace.
« C'est peu, dit le loup faisant la grimace,
C'est à peine s'il m'a semblé
Avoir eu quelque chose à manger. »
Il fit le tour de la cuisine en glapissant :
« Il faut que je trouve quelque chose,
à me mettre sous la dent ! »
Puis il ajouta d'un air effrayant :
« Je vais donc attendre ici un instant
Que le Petit Chaperon Rouge revienne
Des bois où elle se promène. »
Il se glissa aussitôt dans les habits
de Mère-Grand.
(Il ne les avait pas mangés, c'est évident !)
Il mit son manteau, coiffa son chapeau,
Enfila sa paire de godillots,
Il se frisa même les cheveux au fer
Et s'assit dans le fauteuil de la grand-mère.
Quand le Chaperon Rouge arriva,
Tout étonnée, elle s'écria :

« Que tu as de grandes oreilles,
Mère-Grand ! »
« C'est pour mieux t'écouter,
mon enfant. »
« Que tu as de grands yeux, Mère-Grand ! »
« C'est pour mieux te voir, mon enfant ! »
Derrière les lunettes de Mère-Grand,
Le loup la contemplait en souriant.
« Je vais, songeait-il, manger cette enfant.
Après sa vieille grand-mère un peu dure,
Ce sera du caviar, c'est sûr ! »
Mais le Petit Chaperon Rouge déclara :
« Mère-Grand,
Tu as un manteau de fourrure épatant ! »
« Ce n'est pas le texte ! glapit le loup.
Attends…
Tu devrais dire : "Que tu as de grandes
dents !"
Enfin… peu importe ce que tu me dis
ou non,
C'est moi qui vais te manger,
de toute façon ! »

La petite fille sourit, battit d'une paupière,
Et de sa culotte sortit un revolver.
C'est à la tête qu'elle visa le loup,
Et *bang*, l'étendit raide mort d'un coup.
J'ai rencontré quelque temps après,
Mlle Chaperon Rouge dans la forêt.
Adieu, rouge manteau !
  Quelle transformation !
Adieu, ridicule petit capuchon !
« Hé ! dit-elle, tu as vu comme il est beau,
Mon manteau en loup bien chaud ? »

Les Trois Petits Cochons

Mon animal favori
Est le cochon, sans contredit.
Le cochon est noble, il est intelligent,
Le cochon est courtois. Il est vrai cependant
Qu'il arrive parfois (quoique pas très
souvent)
Que l'on tombe un jour sur un cochon
dément.
Quelle serait votre réaction, s'il vous plaît,
Si, vous promenant dans la forêt,
Vous tombiez par hasard sur un cochon
Qui aurait bâti en paille une maison ?
À son tour, le loup la découvre
et dit
En se léchant les babines :
« Ce cochon est cuit ! »
« Ouvre-moi la porte,
cochon, petit cochon ! »

« Nenni, non, par ma barbichette ! »
« Alors je vais souffler, cogner, petit cochon,
Et défoncer ta maisonnette ! »
Le petit cochon fit sa prière,
Mais sa maisonnette vola en poussière.
Le loup s'exclama : « Bacon, saucisses
et jambon !
J'ai vraiment une veine de cochon ! »
Il le dévora comme un glouton,
Et garda pour la fin la queue
en tire-bouchon.
Le loup se promena, l'estomac ballonné,
Et, surprise des surprises,
il tomba peu après
Sur une autre maison de cochon
Qui était bâtie en joncs.
« Ouvre-moi la porte, cochon,
petit cochon ! »
« Nenni, non, par ma
barbichette ! »
« Alors je vais souffler,
cogner, petit cochon,

Et défoncer ta maisonnette !
Allez, c'est parti ! » dit le loup
Qui souffla, souffla comme un fou.
Le petit cochon poussa les hauts cris :
« Loup, tu as déjà mangé aujourd'hui !
Pourquoi ne pas discuter et s'arranger ? »
Le loup répondit : « Tu peux repasser ! »
Et le petit cochon fut bientôt dévoré.
« Deux succulents petits cochons !
glapit le loup.
Et pourtant je ne suis pas rassasié
du tout !
Je sais, je suis un peu ventripotent,
Mais c'est si bon d'être gourmand ! »
Alors, silencieux comme une souris,
Le loup s'approcha d'un autre logis.
À l'intérieur, terrorisé,
Un autre cochon se cachait.
Mais ce cochon-là, le numéro trois,
Était très futé, croyez-moi !
À la paille, aux joncs, il faisait la nique :
Il avait construit sa maison en briques.

« Tu ne m'auras pas ! » s'écria le cochonnet.
« Je vais souffler et tout renverser ! »
« Il te faudra beaucoup de souffle,
Et tu n'as rien dans les poumons ! »
Alors le loup souffle, souffle et s'essouffle,
Il est incapable de renverser la maison !
« Si je ne peux pas la ficher par terre,
Dit le loup, je la ficherai en l'air !
Je reviendrai cette nuit, et *pffuitt !*
La ferai sauter à la dynamite ! »
« Espèce de brute, j'aurais
dû m'en douter ! »
S'écria le cochon, prenant
le combiné.
Et aussi vite qu'il put,
il composa le numéro
Du Petit Chaperon Rouge : « Allô !
Oui, répondit-elle, qui est là ?
Ah ! c'est toi, cochonnet ! Comment ça va ? »
« J'ai besoin de toi, ma chère Chaperon,
Je t'en prie, aide-moi », implora le cochon.
« Si je peux t'aider, ce sera volontiers. »

VOGUE

« C'est une affaire de loup, ta grande
spécialité !
J'en ai un devant chez moi !
Je n'attends plus que toi ! »
« Mon cher petit cochon, dit-elle,
mon mignon,
Ça, c'est tout à fait mon rayon.
Je me lave les cheveux, je les sèche
Et je viens chez toi, je me dépêche ! »
Quelques instants après, d'un pas
déterminé,
Le brave Petit Chaperon traversait la forêt.
Il était là, le loup au regard de braise,
Aux yeux jaune mayonnaise.
Ses crocs étaient acérés, ses babines
retroussées,
Et au coin de sa gueule un filet de bave
coulait.
Une fois encore, la demoiselle battit
d'une paupière
Et de sa culotte sortit un revolver.
Une fois encore, elle visa la tête

Et d'un seul coup extermina la bête.
Épiant derrière sa fenêtre, le cochon
S'écria : « Bravo, Petit Chaperon ! »
Ah ! Cochonnet, imprudemment tu te fiais
Aux demoiselles de la bonne société.
Car depuis lors, le Petit Chaperon,
  vous remarquerez,
À ses fourrures de loup a ajouté,
Pour voyager encore et encore,
Un superbe sac, un sac en peau de porc !

Table

Quentin Blake

L'illustrateur

Quentin Blake est né dans le Kent, en Angleterre. Il publie son premier dessin à seize ans dans le célèbre magazine satirique *Punch*, et fait ses études à l'université de Cambridge. Il s'installe plus tard à Londres où il devient directeur du département Illustration du prestigieux Royal College of Art. En 1978, commence sa complicité avec Roald Dahl qui dira : « Ce sont les visages et les silhouettes qu'il a dessinés qui restent dans la mémoire des enfants du monde entier. » Quentin Blake a collaboré avec de nombreux écrivains célèbres et a illustré près de trois cents ouvrages, dont ses propres albums (*Clown*, *Zagazou*...). Certains de ses livres ont été créés pour les lecteurs français, tels *Promenade de Quentin Blake au pays de la poésie française* ou *Nous les oiseaux*, préfacé par Daniel Pennac. En 1999, il est le premier Children's Laureate, infatigable ambassadeur du livre pour la jeunesse. Il est désormais Sir Quentin Blake, anobli par la reine d'Angleterre pour services rendus à l'art de l'illustration, et son œuvre d'aujourd'hui va aussi au-delà des livres. Ce sont les murs des hôpitaux, maternités, théâtres et musées du monde entier qui deviennent les pages d'où s'envolent des dessins transfigurant ces lieux. Grand ami de la France, il est officier de l'ordre des Arts et des Lettres et chevalier de la Légion d'honneur.

Pour en savoir plus sur

ROALD DAHL

Roald Dahl était un espion, un pilote de chasse émérite, un historien du chocolat et un inventeur en médecine. Il est aussi l'auteur de *Charlie et la chocolaterie*, *Matilda*, *Le BGG* et de bien d'autres fabuleuses histoires : il est le meilleur conteur du monde !

Dans la collection
FOLIO CADET PREMIERS ROMANS

Fantastique Maître Renard
La girafe, le pélican et moi
Le doigt magique
Les Minuscules
Un amour de tortue
Un conte peut en cacher un autre

LES HISTOIRES FONT DU BIEN !

Roald Dahl disait : « Si vous avez de bonnes pensées, elles feront briller votre visage comme des rayons de soleil et vous serez toujours radieux. »

Nous croyons aux bonnes actions. C'est pourquoi 10 % de tous les droits d'auteur* de Roald Dahl sont versés à nos partenaires de bienfaisance. Nous avons apporté notre soutien à de nombreuses causes : aux infirmières qui s'occupent d'enfants, aux associations qui fournissent une aide matérielle à des familles dans le besoin, à des programmes d'aide sociale et éducative… Merci de nous aider à soutenir ces activités essentielles.

Pour en savoir plus : roalddahl.com

Le Roald Dahl Charitable Trust est une association caritative anglaise enregistrée sous le numéro 1119330.

* Tous les droits d'auteur versés sont nets de commission.